Rabbit and Otter
Go Sugarbushing

Gii-iskigamizigewaad
Waabooz miinawaa Nigig

Written by Liz Granholm • Illustrated by Anna Granholm

Once upon a time, there was a rabbit and an otter. They lived near a lake. One morning Rabbit and Otter decided to go for a picnic.

Shke naa aabiding gii-ayaawag ingiweg waabooz miinawaa nigig. Jiigi-zaaga'igan gii-izhi-daawag. Aabiding dash gii-ani-gigizhebaawagadinig gii-onaakonigewag agwajing ji-dananjigewaad.

Otter put a plate of fresh pancakes into the basket. Rabbit looked around the kitchen and asked, "Where is the syrup?"

Nigig ogii-piina'aan imaa makakong aanind iniwen nabagi-wiishkobanen. Waabooz dash wiin jiibaakwegamigong gii-paa-inaabi. Mii-sh imaa gaa-zhi-gagwedwed, "Aandi iwe zhiiwaagamizigan?"

Otter smiled and reached into a cupboard and took out a small jar of syrup. "Oh no!" he exclaimed, "It appears that I have no syrup left!"

Gii-shoomiingweni Nigig ataasowining andobinaad iniwen moodaabikoonsan. "Hay'!" gii-ikido. "Indawaaj igo ninoondese iwe zhiiwaagamizigan!"

Rabbit thought for a moment. "I have an idea! I know where we can tap some maple trees! Let's go sugarbushing!"

Mii ajinens gaa-naanaagadawendang Waabooz, gii-mikwendamosed: "Ingikendaan wiin igo ge-izhichigeyang! Ingikendaan ingoji ge-dazhi-ozhiga'igeyangiban. Iskigamizigedaa!"

Otter happily agreed and they gathered what they needed to tap the trees. They also made sure that they had a gift of tobacco for the Great Spirit.

Nigig ogii-nakomaan iniwen Waaboozoon gaa-zhi-naazikamowaad onegwaakwaaniwaan. Ogii-naazikawaawaan iniwen asemaan ji-biindaakoonaawaad iniwen manidoon gaye.

Later that day, Rabbit and Otter went out to the grove of maple trees. Otter was about to tap one of the trees when Rabbit shouted, "Wait! Otter, we need to remember to thank the Great Spirit and offer tobacco! Remember what happened to our wild rice?"

Mii-sh baanimaa gaa-zhi-oditamowaad iwe iskigamizigan. Gegaa dash gii-ni-ozhiga'ige awe Nigig wenji-biibaagimigod iniwen Waaboozoon "Kawe! Nigig, booch igo nitam ji-biindaakoonang awe Manidoo Naagaanizid! Giminjimendaan na iwe gaa-zhiseg gii-manoominikeyang?"

Jiichiibikwenid Nigig
ogii-odaapinaan iniwen
asemaan miigwechiwi'aad
iniwen Gizhe-Manidoon
iwe ziinzibaakwadaaboo
ge-mamoowaad.

Nodding sheepishly, Otter took some tobacco and thanked the Great Spirit for the maple sap they were going to collect.

Waabooz ogii-takonaan iniwen akikoon megwaa ozhiga'iged awe Nigig. Azhigwa dash gaa-agoonaawaad gakina iniwen akikoon Waabooz miinawaa Nigig gii-naaniibawiwag gichi-inendamowaad iwe bijiinag gaa-izhichigewaad. "Aazha gegaa de-minik ziinzibaakwadaaboo giwii-ayaamin ji-zhiiwaagamiziganikeyang!"

Rabbit held the buckets as Otter put a tap in each tree. Once all were hung Rabbit and Otter stood by proudly. "Soon we'll have enough sap to make maple syrup!"

The next morning Rabbit and Otter met at the grove of maple trees. When they got there, they found all their buckets lying on the ground empty!

Wayaabaninig idash gii-tazhi-nakweshkotaadiwag Waabooz miinawaa Nigig imaa iskigamiziganing. Aazha dash gaa-tagoshinowaad ogii-na'aabamaawaan gakina iniwen akikoon gii-pangishininid. Indawaaj igo gii-pazhishigwaabikiziwag!

"Oh no!" cried Otter, "Our sap is spilled all over the ground!"

"Shenh hay'!" ikido Nigig. "Gakina ziinzibaakwadaaboo miziwe igo gii-siigise!"

Rabbit looked around in dismay. "But we thanked the Great Spirit and offered tobacco." Suddenly, someone or something ran past so fast that it knocked Otter to the ground.

Ayinaabi awe Waabooz ishkendang. "Tayaa! Gigii-miigwechiwi'aanaan idash Gizhe-manidoo biindaakoojigeyang." Gezika gii-bimibatoo awiya epiichi-gizhiibatood iniwen Nigigoon ji-gawaganaamaad.

Rabbit reached down to help him stand up, but then nearly fell over when that someone once again went running past them. "Who was that?" he asked wide-eyed.

Odebibinaan Waabooz iniwen Nigigoon wii-naadamawaad niibawi'aad. Miinawaa dash gegaa gii-gawaganaamaad awiya gaa-bimibatood. "Awenen da awe?" izhi-gagwedwe Waabooz goshkwendang.

Squirrel suddenly stopped right in front of him, knocking Otter to the ground for the second time. "Oops sorry!" exclaimed Squirrel. "Thank you, thank you, thank you!" he added giggling and running away quickly again.

Mii-sh niizhing geget gaa-zhi-gawaganaamaad iniwen Nigigoon wenji-noogigaabawid imaa. "Hay' gaawiin onjida!" gii-piibaagi Ajidamoo. "Miigwech, miigwech, miigwech igo naa!" gii-kinagaapi maajiiba'iwed.

"Wha…?" Otter and Rabbit started to ask what he was thankful for and then looked at each other confused. "The maple sap in the buckets!" squealed Squirrel as he reappeared again right in front of them. "It was delicious!"

"Aanii…?" Nigig naa go ge Waabooz gii-ni-maajii-gagwedwewag gaa-miigwechiwi'aminid iniwen Ajidamoon gii-goshkaabaminaagoziwaad. "Shenh tagiizh iwe ziinzibaakwadaaboo imaa akikong!" Gii-shaabowe awe Ajidamoo bi-naagozid miinawaa. "Wiinge gii-minwaagamin gaye!"

Gii-tibaabandiwag Waabooz miinawaa
Nigig gaa-zhi-dibaabamaawaad
iniwen Ajidamoon. "Indaana-wii-
iskigamizaamin iwe ziinzibaakwadaaboo
ji-zhiiwaagamiziganikeyaang," gii-ikido Nigig.

Rabbit and Otter looked at one another and then at Squirrel. "We were going to make maple syrup with the sap we collected," said Otter.

"Oh!" exclaimed Squirrel. "I thought it was a gift as they were hung on my trees." He pointed up to the branches where they could see Squirrel's house.

"Hay'!" biibaagi Ajidamoo. "Ingii-inendaan wiin iwe bagijigan gaa-agoodeg imaa nimitigong," izhidooniged imaa owaakaa'iganing gaa-zhi-ateg.

Shamefully Rabbit tugged on his ears and Otter hung his head. They had not realized that the trees had belonged to someone. "We are sorry." They both said softly and apologetically.

Waabooz ogii-wiikobidoonan otawagan agadendang. Nigig dash wiin gii-nawabikweni. Gaawiin ganage ogii-gikendanziinaawaa awiiyan gii-izhi-daanid imaa mitigong. "Gaawiin onjida," gii-ikidowag agajiwaad.

A voice nearby spoke "Respect the world around you and spread love everywhere you go."

Mii imaa wenji-noondaagozid awiiya "Manaajitoon gidakiiminaan, zhawenjigewak miziwe."

"Muskrat," murmured Rabbit in surprise. Squirrel tilted his head curiously at the other two and looked towards the voice.

"Wazhashk," gii-saaskaanimowe goshkonaagozid awe Waabooz. Ajidamoo dash wiin gii-gwekibikweni ganawaabamaad iniwen Waaboozoon, Nigigoon, miinawaa Wazhashkoon gaa-noondaagozinid.

Muskrat spoke again. "Love can be found anywhere, even in a bucket."

Miinawaa gii-noondaagozi awe Wazhashk: "Miziwe ate zhawenjigewin, daabishkoo go omaa akikong."

Squirrel smiled and picked up a fallen bucket. "Shall we tap more trees?" he asked as Rabbit and Otter nodded and ran to pick up the remaining buckets.

Ajidamoo gii-shoomiingweni odaapinaad iniwen akikoon gaa-pangishininid. "Enigok ina giga-ozhiga'igemin?" gii-kagwedwe. Gii-noomikwetaadiwag Waabooz miinawaa Nigig odaapinaawaad gakina godak iniwen akikoon.

Dedication

To those who have gone on before us. Especially Liz's father and father-in-law; Anna's two grandfathers. As well as to all those squirrels out there that we each see ourselves to be!

Rabbit and Otter Go Sugarbushing

Copyright 2021   Author Liz Granholm
            Illustrations Anna Granholm

            Ojibwe translation by Aanikanootamaagewin.

ISBN 979-8-9853081-1-2

Book cover and design by Paul Nylander | Illustrada, Minneapolis, Minnesota

Flutterby
Blossoms
Publishing

Made in the USA
Las Vegas, NV
08 November 2023